Colección ANIMALES DE COMPAÑÍA

MANUAL PRÁCTICO DEL BULL TERRIER

Orígenes - Estándar - Cuidados - Alimentación
Acicalado - Salud - Adiestramiento - Concursos

Muriel Lee

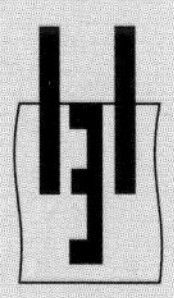

EDITORIAL HISPANO EUROPEA S. A.

ÍNDICE

Título de la edición original: **The Guide To Owning a Bull Terrier.**

© de la traducción: **David George.**

Es propiedad, 2005
© **T. F. H. Publications, Inc.** Neptune City. N. J. (EE. UU.)

© de la edición en castellano:
Editorial Hispano Europea, S. A.
Primer de Maig, 21 - Pol. Ind. Gran Via Sud
08908 L'Hospitalet - Barcelona, España.
E-mail: hispanoeuropea@hispanoeuropea.com

Depósito Legal: B. 28754-2005.

ISBN: 84-255-1315-4.

Tercera edición

Consulte nuestra web:
www.hispanoeuropea.com

IMPRESO EN ESPAÑA PRINTED IN SPAIN

LIMPERGRAF, S. L. - Mogoda, 29-31 (Pol. Ind. Can Salvatella) - 08210 Barberà del Vallès.

PRESENTACIÓN DEL BULL TERRIER

¿Es un caballero blanco?, ¿es un niño disfrazado de perro?, ¿o es un anunciante de cerveza? Se le han dado todos estos nombres, pero se le conoce oficialmente como Bull Terrier. Tenemos el Bull Terrier blanco y el Bull Terrier de color. Además, tenemos el Bull Terrier Miniatura, que se presenta en ambos colores.

¿Es un caballero? Desde luego, aunque en sus principios trabajara en los rings de las peleas para perros. ¿Es divertido y tiene personalidad? Sí, ya que sino, no estaría anunciando cerveza ni actuando como un niño. Aunque no ha perdido por completo su instinto original, hoy día suele vivir en casa mientras entretiene y proporciona cariño a su familia. Este perro fuerte y resistente quizá no sea apto para todo el mundo, pero si quiere usted un animal robusto, alerta y muy inteligente, ésta puede ser la raza hecha para usted.

El Dr. Dieter Fleig escribió en su libro *Bull Terriers*: «Los Bull Terrier son perros para personas felices que disfruten con un buen chiste y sean capaces de reírse de oreja a oreja de sí mismos y de sus perros.»

El Bull Terrier es bien conocido por su temperamento firme, su complexión fuerte y su legendario valor.

HISTORIA DEL BULL TERRIER

El Bull Terrier es una de las razas más antiguas y está clasificada dentro del grupo de los Terriers. Sus orígenes se remontan a principios del siglo XIX, y es una de las razas reconocidas desde hace más tiempo por el American Kennel Club.

El Bull Terrier pertenece al grupo de perros descritos como Terriers, término que procede de la palabra latina *terra*, que significa tierra. El Terrier es un tipo de perro criado para trabajar en madrigueras y hacer salir de ellas las grandes y pequeñas alimañas, roedores y otros animales que suponen una molestia para la vida en el campo. De todas formas, el Bull Terrier tiene unos objetivos diferentes a los de estos perros que se meten bajo tierra; fueron criados en sus orígenes como perros de pelea. De los 25 perros del grupo de los Terriers aceptados por el AKC, el American Staffordshire Terrier, el Bull Terrier, el

A lo largo de los años, los criadores se han dedicado con devoción a la perfección y al desarrollo del Bull Terrier.

Antiguamente perro de pelea, el Bull Terrier de color posee las mismas virtudes que sus primos de color blanco.

Bull Terrier Miniatura y el Staffordshire Bull Terrier fueron criados como perros para luchar en los rings de pelea, para entretener a los espectadores compitiendo en este inhumano deporte de las luchas de perros. Aunque estas razas descienden de los Mastiff y de los Bulldogs, fueron cruzadas con Terriers para potenciar su agilidad e inteligencia. A medida que la cría progresó, estos perros de pelea empezaron a tener un mejor aspecto y unas líneas más aerodinámicas (menos «bull» y más terrier), y así pues, fueron clasificados en el grupo de los terriers.

Todos los perros del grupo de los Terriers tuvieron su origen en las Islas Británicas, a excepción del Schnauzer miniatura (Alemania). Los terriers, aunque pueden variar en cuanto al tipo, tienen todos el mismo carácter: son perros de caza ágiles, resistentes, listos y buenos compañeros para sus amos. Hacia 1735, *The Sportsman's Dictionary* describía los Terriers como «un tipo de perro usado sólo o principalmente para la caza del zorro o del tejón. Se mete a rastras bajo tierra y mordisquea al zorro o al tejón destrozándolos con sus dientes, o tiran de ellos y los sacan por la fuerza de sus madrigueras».

Desde sus inicios, los Terriers eran animales resistentes y valientes, lo suficientemente inteligentes como para ser más listos que la presa que perseguían. Era algo natural hacer criar a los perros de pelea más lentos y de mayor tamaño con los Terriers de caza, que eran de líneas más esbeltas y de menor tamaño.

Para comprender la historia del Bull Terrier se debe saber algo de las Islas Británicas allá hacia el siglo XVIII y el XIX. Eran tiempos duros, la población en general era pobre y la crueldad hacia los animales era tan común como la crueldad entre las personas. Las peleas entre perros, con estos antecedentes en la presa con tejones, toros y osos, no fue abolida en Inglaterra hasta el año 1835. Hasta entonces, las peleas de perros (y anteriormente la presa de toros) eran uno de los deportes más populares entre la población general, y en esos tiempos no se daba importancia a su crueldad. Las condiciones de vida eran duras y la gente no era nada culta. Las peleas de perros proporcionaron un entretenimiento barato y emocionante, además de ofrecer a los espectadores una oportunidad para apostar.

El Bull Terrier hizo su primera aparición en los Estados Unidos a principios del siglo XX.

Trate de imaginarse los perros enfrentados en el ring, de forma similar a un ring de boxeo, con los estridentes espectadores amontonándose sobre la pista, animando a su perro favorito para que acabara con su oponente. Entre el clamor y el ruido (y los olores, como podrá imaginarse), el dinero pasaba de unas manos a otras mientras los perros estaban listos para pelear hasta la muerte. No es un cuadro muy bonito.

Los orígenes del Bull Terrier están bastante claros en comparación con otras razas del grupo de los Terriers, cuyos orígenes todavía son objeto de especulaciones. El Bulldog, que descendía del antiguo mas-

El Bull Terrier blanco puro como la leche se originó en los años 1850 en Birmingham (Inglaterra).

tiff, era usado para la presa de toros y tejones, y al final para las peleas de perros. El Bulldog fue cruzado con varios Terriers para dar más ferocidad y tenacidad a la fuerza y valentía del Bulldog. El afamado Stonehenge, que escribía sobre los perros, dijo acerca de estos cruces: «Un perro tal, para ser útil debe ser más de la mitad de Terrier, ya que sino será demasiado grande y lento, tendrá un cierre demasiado retrasado para hacer fuerza con sus dientes, y tendrá poca disciplina para obedecer las órdenes de su amo».

Con el cruce con los Terriers, el perro de pelea logró unas extremidades más largas, una cabeza más alargada y se hizo con el ardor del Terrier. Estos perros de aquellos tiempos se llamaban Bull y Terriers. Los perros no eran atractivos, tenían unas cabezas pequeñas y fuertes, y eran de todos los colores, incluyendo el blanco. Eran criados con el propósito de la lucha, y no por su aspecto. Aquellos que no podían desempeñar su trabajo eran sacrificados, y aquellos otros que lo realizaban bien eran cruzados entre sí sin fijarse en su belleza.

«A no ser que estuvieran en forma y fueran bravos para llevar a cabo su cometido, sus cabezas no se tenían mucho tiempo fuera del gran barril de agua del patio del establo», escribió Stonehenge. Peor todavía, aquellos que no eran ágiles, tenaces ni rápidos perdían la vida en el ring de las peleas.

En los años 1850, James Hinks, de Birmingham, al que se consideró como el padre de la raza, cruzó a su perro con el hoy extinto White English Terrier, que era un perro esbelto y de aspecto agradable (se dice que Hinks también hizo algunos cruces con perros Dálmata y posiblemente con Greyhound y Foxhound). En 1862 presentó su línea de Bull Terrier de color blanco puro en una exposición canina. Estos perros no sólo eran de color blanco, sino que mostraban un refinamiento y una gracia de la que carecían los anteriores animales. El perro blanco se tornó rápidamente en el color a elegir, y los perros de otros colores cayeron en desgracia.

De todas formas, algunos criadores creían que los perros de Hinks carecían de la valentía y de la capacidad para la pelea de los perros antiguos, y se le retó a demostrar que sus esbeltos perros blancos eran tan fieros como los animales que se habían ido viendo en los rings de pelea. El *Book of the Dog* de Cassell apuntaba que «para demostrar que su línea no había perdido nada de la tan apreciada cualidad de beligerancia, Hinks hizo pelear su perra de 18 kg llamada Puss con uno de los antiguos perros tipo Bulldog (27 kg) por cinco libras y una caja de botellas de champán. En media hora Puss había matado a su oponente y sus heridas eran tan leves que fue capaz de aparecer al día siguiente en una exposición canina y ganar un premio por su buen aspecto y su estado de forma».

A medida que la raza se fue desarrollando, se puso menor énfasis en la capacidad y deseo de pelear, y más sobre el aspecto del animal. De todas formas, continuó siendo un animal fuerte, rápido, muy valiente, capaz de pensar por sí mismo y que, aunque estuviera herido, nunca se revolvería contra su amo.

Hacia los años 1870 y 1880 se comenzaron a exportar Bull Terrier blancos a los Estados Unidos, donde atrajeron a un grupo leal de admiradores. Fueron reconocidos por el American Kennel Club en 1891, y el Bull Terrier Club of America fue fundado en 1897. En 1895 se prohibió en Inglaterra el corte de orejas, y el criador de Bull Terrier tuvo que enfrentarse a un nuevo reto: criar en busca de una oreja erecta en lugar de tener que cortarla para conseguir ese aspecto limpio y elegante. Al cabo de cinco o seis años, algunos criadores de Inglaterra ya podían criar animales con las orejas erectas. Hacia 1930 se especificó en el estándar que una oreja que no estuviera erecta constituía una falta. En América, donde no se prohibió el corte de orejas, los criadores siguieron con esa costumbre hasta finales de los años 30.

El Bull Terrier de color apareció gracias a los esfuerzos de Edward Lyon, que esperaba producir un Bull Terrier Miniatura mediante el cruce del Bull Terrier blanco con el Staffordshire Terrier. Le gustó el animal coloreado que se originó y continuó experimentando con su programa de cría. La raza se desarrolló lentamente, ya que los criadores debían cruzar continuamente con el Staffordshire para conseguir el color. Al final se obtuvo un número suficiente de Bull Terrier de color de calidad y fue posible cruzarlos entre ellos. Como ya no era necesario recurrir al Staffordshire Terrier, los criadores pudieron concentrarse en la cría, de forma científica, para el color.

El estándar es igual tanto para el Bull Terrier blanco como para el de color, excepto (claro está) en lo concerniente al color. El Bull Terrier

El buen temperamento del animoso Bull Terrier debería hacerse patente en su expresión llena de vida.

blanco puede tener manchas de color en cualquier parte de la cabeza, pero en cualquier otro lugar son severamente penalizadas. Las manchas comunes sobre la cabeza consisten en manchas en los ojos y en las orejas. El estándar de la variedad de color dice: «Cualquier color que no sea el blanco o cualquier otro con manchas de color blanco. Siendo todo lo demás igual, el color preferido será el atigrado. Un perro predominantemente blanco será descalificado». Los Bull Terrier de color suelen tener manchas blancas sobre las patas, el pecho, el cuello y la cabeza. El color debe predominar sobre el blanco. Si tiene pocas o ninguna mancha blanca se le llamará «completamente de color».

El tamaño distingue al Bull Terrier Miniatura del normal. Desde los años 1860 se establecieron para ellos categorías distintas en las exposiciones. El Miniatura casi encaró la extinción a principios del siglo XX, y hacia 1918 el Kennel Club inglés cerró las inscripciones debido a las pocas que se habían presentado. En 1939, un tal coronel Glyn fundó un club para el Bull Terrier Miniatura, y volvió a surgir el interés por la raza.

El estándar del Bull Terrier Miniatura se parece al del Bull Terrier de tamaño normal, excepto en lo concerniente a su tamaño. Su altura hasta la cruz debería ser de entre 25 y 35 cm. para los americanos y 35,5 para los ingleses. El peso del perro está en proporción con su tamaño. En 1945, el Kennel Club inglés aceptó al Miniatura como una variedad diferente. En 1997, cuando el Bull Terrier Club of America celebró su centenario, el Miniature Bull Terrier Club of America celebró su exposición monográfica en el ring de al lado. Fue la primera vez que las dos razas celebraban exposiciones especializadas combinadas.

Considerado como una raza diferente, el Bull Terrier miniatura, en la foto, es una versión en pequeño del Bull Terrier.

CARACTERÍSTICAS DEL BULL TERRIER

El Bull Terrier ha sido descrito de muchas formas: un amigo encantador y leal, un verdadero atleta y un valiente defensor, un caballero con un temperamento dulce. Tiene resistencia, amabilidad, lealtad, equilibrio mental, es feliz y tiene un carácter abierto. Es un payaso extravertido y confiado con un carácter dulce. De todas formas recuerde que es un perro grande y fuerte que no se apoltrona. No conoce el miedo y no ha perdido sus instintos de valentía y rapidez.

El famoso criador de Bull Terrier, E. S. Montgomery escribió en su libro *The Bull Terrier:* «Se ha dicho frecuentemente que una vez un hombre o una mujer se hacen propietarios de un Bull Terrier, ya no querrán ninguna otra raza de perros. Para el verdadero aficionado a los Bull Terrier, cualquier otra raza vendrá y se irá, pero los Bull Terrier seguirán siempre ahí. Existe algo imposible de describir acerca de ellos y que no posee ninguna otra raza. Son los mejores amigos, nunca se quejan sin razón, son fieles a sus propietarios y son los perros con mejor carácter que existen, pero al mismo tiempo pueden, si hace falta,

Hay muchas actividades en las que pueden participar usted y su perro, y el versátil Bull Terrier es capaz de sobresalir en todas ellas. Tessi, propiedad de Dorinda Desmet, salta una barra en una prueba de Agility.

La gente lo pasa bien con el fiel compañerismo que les puede proporcionar un Bull Terrier.

pelear como no podría hacerlo ningún otro perro, y no permitirán que nadie moleste a sus amos bajo ningún pretexto.»

Son características comunes de todos los Terriers su deseo de trabajar con gran entusiasmo. Todos tienen unos dientes grandes y fuertes en relación con su tamaño corporal. Tienen un buen oído y una excelente vista. No importa durante cuántas generaciones hayan sido tenidos como mascotas: el propósito con el que se crió la raza siempre permanecerá dentro del perro.

Probablemente, la característica más distintiva del Bull Terrier es su cabeza en forma de huevo, que no se parece a la de ninguna otra raza. Además, sus ojos son pequeños y triangulares y están situados oblicuamente, dándole así una mirada penetrante. Añada a esto un cuerpo propio de un

Aunque algunos rasgos son heredados, cada Bull Terrier es un individuo con su propia personalidad: estos tres amigos se muestran de acuerdo.

El lazo de los Bull Terrier con los niños es legendario, y ellos disfrutan haciendo payasadas con sus amigos.

gladiador y un movimiento confiado y tendrá usted sin duda a un perro de aspecto único.

El Bull Terrier implora que le presten atención y puede ser persistente en sus esfuerzos para conseguirla. Le encanta acomodarse, estar a su lado en el sofá o sobre la cama. Son excelentes con los niños y alegres compañeros con ellos. Les encanta jugar y se les suele llamar los payasos del mundo de los perros.

Necesita un propietario con mano firme, debido a su inteligencia y a su pasado como perro de pelea. Esto no quiere decir que el propietario deba tratar al perro con dureza, pero sí es importante que el perro sepa dónde está su lugar dentro de la jerarquía del hogar. Determine pronto quién va a ser el jefe de la casa. Use los métodos de adiestramiento lógicos y firmes, aunque éstos deberían ser afectuosos, y así, usted y su Bull Terrier deberían llevarse bien el uno con el otro.

El Bull Terrier necesita más afecto que muchas otras razas, así que ésta no es la indicada para usted si las personas que viven en su casa están ausentes gran parte del día. Llévele diariamente a dar un paseo, proporciónele un lecho cómodo y muchos mimos, y así su perro será feliz.

El Bull Terrier actual se presenta en variedad de colores. Incluyen el atigrado, el negro y blanco y el tricolor.

ESTÁNDAR PARA EL BULL TERRIER

BLANCO

El Bull Terrier debe ser corpulento, musculoso, proporcionado y activo, con una expresión viva, determinada e inteligente y debe responder a la disciplina.

Cabeza. Debería ser alargada, fuerte y llena de sustancia hasta la punta del hocico, pero no tosca. La cara debería tener un contorno ovalado y estar llena, sin presencia de huecos o concavidades (esto es, debe ser aovada). El perfil debería curvarse suavemente hacia abajo desde la parte superior del cráneo hasta la trufa. La parte superior del cráneo debería ser plana de una oreja a otra. La distancia desde la punta de la trufa hasta los ojos debería ser apreciablemente mayor que la existente entre los ojos y la parte más alta del cráneo. El maxilar inferior debería ser profundo y estar bien definido.

Labios. Deberían verse limpios y quedar bien apretados.

Dientes. Deberían tener un cierre perfectamente regular y completo en tijeras. En el cierre de tijeras, los in-

El aspecto general del Bull Terrier debería dar una sensación de fuerza, equilibrio e inteligencia.

cisivos superiores recubren los inferiores en estrecho contacto, perfectamente implantados en las mandíbulas.

Orejas. Pequeñas, delgadas y bastante cercanas entre sí. Deberían portarse derechas, y apuntar hacia arriba.

Ojos. Deberían quedar hundidos y ser tan oscuros como sea posible, con una mirada penetrante, y ser pequeños, triangulares y dispuestos de forma oblicua y triangular. Deberían quedar cercanos entre sí y altos en la cabeza del perro. Los ojos azules en su totalidad o en parte son un defecto.

Trufa. Debería ser negra, inclinada hacia abajo en la punta, y con los orificios nasales bien desarrollados.

Cuello. Muy musculoso, largo, arqueado y limpio, estrechándose desde los hombros hasta la cabeza. Exento de papada.

Tórax. Ancho cuando es observado desde delante, y con gran profundidad desde la cruz hasta la musculatura pectoral, de manera que esta última quede más cerca del suelo que el abdomen.

Cuerpo. La caja torácica está bien redondeada con las costillas bien cinceladas y la profundidad del pecho es grande, de la cruz a la zona del esternón de tal forma que parece más cerca del suelo que del vientre. El dorso corto y fuerte. Las costillas posteriores, profundas. A la altura de los flancos hay un ligero arqueamiento. Los hombros deberían ser fuertes y musculosos, pero no pesados. Las escápulas son anchas y planas, y deberían tener una pronunciada inclinación hacia atrás desde la punta inferior a la superior. Detrás de los hombros no debería haber flojedad o concavidad

El cuerpo del Bull Terrier debe tener un dorso corto y ser fuerte y con unas líneas agraciadas.

Se debe recordar que el Bull Terrier es, en primer lugar y sobre todo, un perro activo y lleno de energía, y esto debería reflejarse siempre en su constitución corporal y en su temperamento.

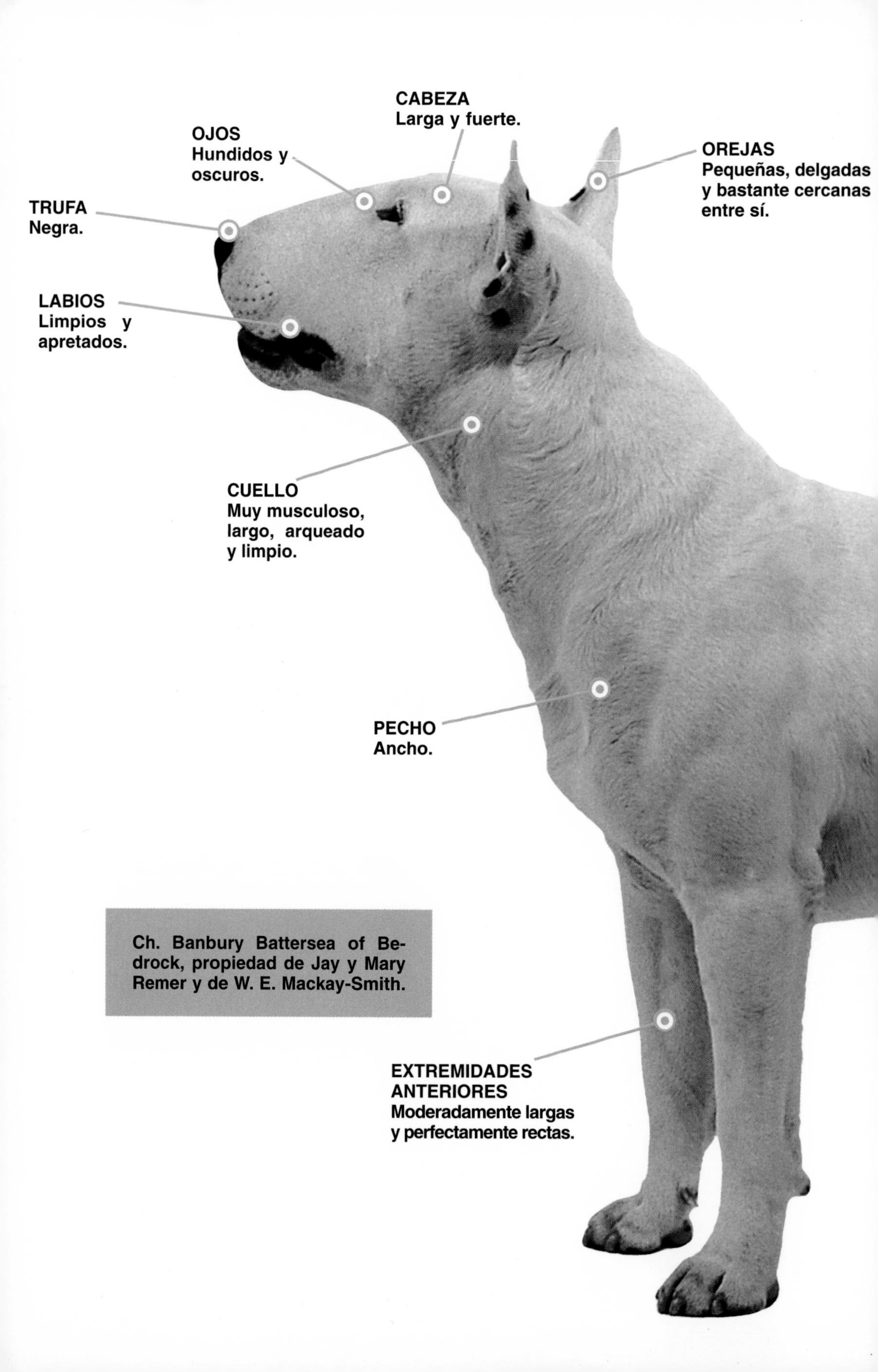

Ch. Banbury Battersea of Bedrock, propiedad de Jay y Mary Remer y de W. E. Mackay-Smith.

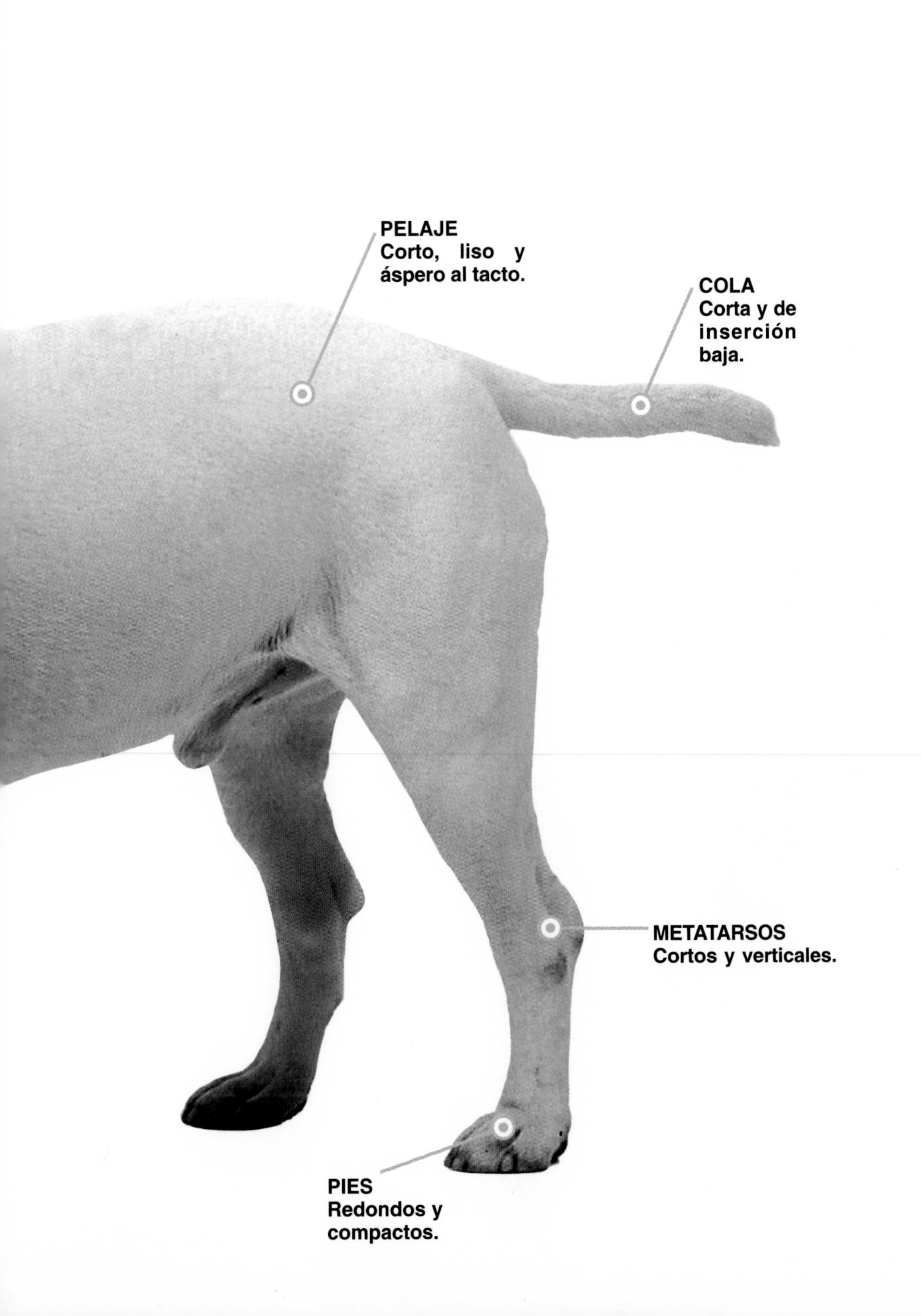
PELAJE
Corto, liso y
áspero al tacto.
COLA
Corta y de
inserción
baja.
METATARSOS
Cortos y verticales.
PIES
Redondos y
compactos.

en la cruz. La línea inferior, desde la musculatura pectoral hasta el abdomen, forma una elegante curva hacia arriba. Visto de frente, el pecho es amplio.

Extremidades. Con una gran osamenta, pero no hasta el punto de llegar a la tosquedad. Las extremidades anteriores deberían tener una longitud moderada, ser perfectamente rectas, y el perro debe estar de pie firmemente sobre ellas. Los codos no deben volverse ni hacia dentro ni hacia fuera y los metacarpos deberían ser fuertes y verticales. Las extremidades posteriores son paralelas cuando se las observa desde detrás. Los muslos son musculosos y los corvejones tienen una buena caída. Los metatarsos son cortos y verticales. Los corvejones bien marcados y angulados.

La cabeza del Bull Terrier debería estar limpiamente tallada, ser alargada y profunda, y tener una expresión viva y animada.

Pies. Redondos y compactos, los dedos bien arqueados.

Cola. Corta, de inserción baja, portada horizontalmente. Debería ser gruesa en la base y estrecharse hasta acabar en una punta fina.

Pelaje. Corto, liso, duro al tacto y con un suave brillo. La piel del perro debería quedar bien tirante. El perro debe presentar en invierno un subpelo de textura suave.

Color. En los perros blancos el manto es de un color blanco puro; la pigmentación de la piel y las marcas en la cabeza no constituyen defectos. En los perros de color, éste debe predominar sobre el blanco. A igualdad de otros puntos, el atigrado debe tener preferencia.

Movimiento. El perro debe moverse con suavidad, cubriendo el terreno de una forma regular y fácil con grandes zancadas, dándole un aire rápido que le es característico. Las extremidades anteriores y las posteriores deberían moverse paralelamente entre sí cuando se las observe desde delante o desde detrás. Las extremidades anteriores tendrán un buen alcance y las posteriores se moverán con suavidad a la altura de la cadera y se flexionarán bien a la altura de la babilla y del corvejón. El perro debe moverse de forma compacta y como si todo él fuera una pieza, pero con un típico aire confiado que sugiere agilidad y fuerza.

Faltas. Cualquier desviación de los puntos anteriormente mencionados debería ser considerada como un defecto que será penalizado en función de su gravedad.

El pelaje del Bull Terrier debería ser corto, liso, áspero al tacto y siempre con un aspecto sano y brillante.

Descalificación

Ojos azules.

DE COLOR

El estándar para la variedad de color es el mismo que para la blanca, excepto para el subapartado de «Color» que dice: *Color:* Cualquier color que no sea el blanco, o cualquier color con manchas blancas. Siendo todo lo demás igual, el color preferido es el atigrado.

Los cachorros de Bull Terrier bien criados deben mostrar características del estándar casi desde el momento del nacimiento.

Mc Williams Never Offside, propiedad de William de Veer, tiene sólo ocho semanas de edad, pero ya muestra la pose intencionada y la constitución fuerte del Bull Terrier.

SELECCIÓN DE SU BULL TERRIER

Cuando adquiera su Bull Terrier asegúrese de comprarlo de manos de un criador reputado. Pida ver a la madre (y al padre, si está en las instalaciones) y pregunte al criador si forma parte o está asociado con alguna entidad cinófila.

El Bull Terrier blanco alcanzó el 75º lugar de popularidad en una reciente lista de las razas del American Kennel Club, y el Bull Terrier Miniatura quedó alrededor del lugar 120. Ésta no es una raza como el Pastor Alemán, de la cual hallará usted diez anuncios de venta de cachorros en su periódico de los domingos. Debido a la relativa rareza de la raza, esté usted preparado para obtener su cachorro una vez haya determinado cual será su criador. Quizá tenga que esperar seis u ocho meses y deba viajar para encontrar el perro adecuado. Tómese su tiempo. Cuando usted compra un coche, quizá lo posea durante tres años y luego lo cambie por otro nuevo. Cuando usted compra un cachorro está adquiriendo un compromiso que puede durar de 10 a 15 años. Asegúrese de saber qué está comprando y de obtener lo que quiere.

Si existe alguna asociación canina en su ciudad o en su región, contacte con ellos y pida que le ayuden a encontrar un cachorro. Los miembros de

Asegúrese de hacer todos sus deberes y de aprender todo lo que pueda acerca de la raza antes de tomar la decisión de llevar un cachorro de Bull Terrier a su casa.

Escoger macho o hembra es un asunto de preferencias. Cualquiera de ellos será un maravilloso compañero.

las mismas están ahí para ayudar a los principiantes. Quieren asegurarse de que ésta es la raza adecuada para usted y de que será un buen propietario para un Bull Terrier. A veces habrá algún perro mayor que necesitará, por una razón u otra, un hogar. Tenga esto en cuenta, ya que un perro mayor también puede proporcionarle alegría al traerlo a su hogar.

El estándar de la raza le dará una idea de qué buscar en un Bull Terrier. E. S. Montgomery lo recopiló bastante bien: «De todos los terriers, y tan atractivos como puedan ser, el Bull Terrier es el de aspecto más simétrico y elegante. Es el más distinguido de todos los perros. Particularmente hermoso, tiene unas bellísimas proporciones con unas hechuras que ganan una forma y un carácter elegante que sugieren agilidad, fuerza y actividad. Sus líneas agraciadas aunque robustas, su cabeza alargada aunque llena, y la remarcable belleza de su simetría, le hacen sorprendentemente llamativo y agradable a la vista. Su pelaje corto lo hace deseable para la casa, ya que ahí es el mejor compañero del hombre.»

Su Bull Terrier tendrá un buen comienzo si sus padres son felices y están bien adaptados. Trate de ver a la madre y al padre del cachorro que se proponga comprar.

LA SALUD DE SU BULL TERRIER

William Haynes escribió en 1925 que «El propietario de un Terrier es un "tipo con suerte", ya que sus perros no suelen pasar, como regla general, mucho tiempo en el hospital. Todos los miembros de la familia de los Terriers, desde el gigante (el Airedale Terrier), hasta el pequeño (Scottish Terrier), deben mucho a la Madre Naturaleza por haberles bendecido con una constitución marcadamente robusta. Incluso cuando están realmente enfermos, tienen unas recuperaciones maravillosamente rápidas. Es casi un chiste mantener a un perro tan sano por naturaleza como un Terrier en plena forma. Todo lo que necesita es un espacio seco y limpio con un lecho en condiciones, un alimento bueno y nutritivo suministrado regularmente, tanta agua fresca como quiera beber, mucho ejercicio y un poco de acicalado. Si se le proporcionan estas cosas, un terrier se encontrará fantásticamente bien, lleno de ánimo y muy contento».

Un Bull Terrier es un perro que prospera con facilidad. Proporciónele cuidados, use su sentido común y tenga un buen veterinario a su disposición. Encuentre usted un veterinario de confianza y del que usted se fíe, y llévele su perro cuando crea que tiene un problema, siga cualquier instrucción que le dé, y si hay algún problema la recuperación será, generalmen-

A través de la cría de perros que sean sólo de la mejor calidad, nos aseguraremos de que la buena salud y el buen temperamento se transmitan a cada nueva generación.

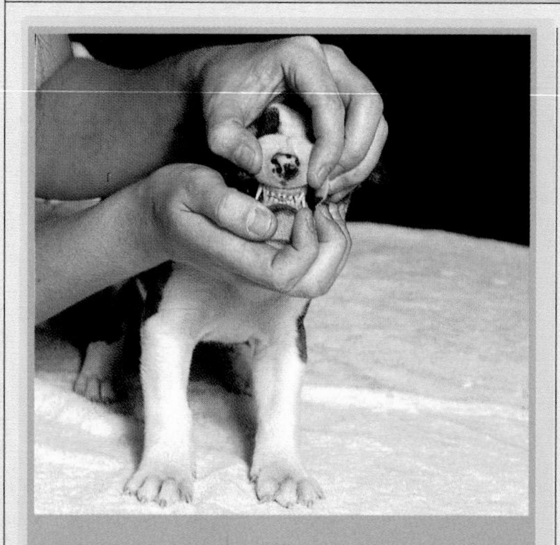

Un examen concienzudo de la boca, dientes y encías de su Bull Terrier debería formar parte de su examen anual.

te, muy rápida. La esperanza media de vida para un Bull Terrier es de diez años, lo que resulta algo menor que la de otros Terriers, muchos de los cuales tienden a vivir más tiempo.

Su perro debería ser vacunado anualmente, además de hacerle un análisis de heces para asegurarse que esté libre de parásitos. Mantenga sus dientes limpios y sus uñas cortas. Su veterinario puede hacerlo si usted o su peluquero canino no pueden. Esté alerta a las garrapatas. Cualquier herida debe ser limpiada, y algunas de ellas requerirán asistencia veterinaria. Los exámenes anuales para descartar la presencia de gusanos del corazón son también importantes en algunas zonas.

Si su veterinario no está disponible fuera de las horas normales de consulta para atender emergencias, sepa dónde localizar a uno de urgencias y tenga su número de teléfono a mano. Muchos veterinarios de las grandes ciudades no disponen de servicios de urgencias, y debe usted confiar en centros especiales para los servicios de noche, fines de semana y vacaciones. Limite la exposición del perro al

Un cachorro de Bull Terrier sano esperará con ilusión su momento de la comida y tendrá un apetito voraz.

Los cuidados médicos regulares son extremadamente importantes a lo largo de toda la vida de su Bull Terrier. Las vacunas de recuerdo y los exámenes físicos forman parte del mantenimiento durante toda la vida de su perro.

Asegúrese de proporcionar a su cachorro juguetes seguros para que juegue con ellos: el Nylabone® Frisbee™ es el juguete adecuado. * La marca Frisbee se usa bajo licencia de Mattel, Inc., California, EE.UU.

sol, sobre todo en verano y, desde luego, nunca le deje dentro del coche en un día caluroso.

Su perro debería estar en un jardín vallado o sujeto por su correa. No es nada inteligente, y frecuentemente va en contra de la ley, dejar que su perro corra libremente y arriesgarse a que le atropelle un coche. Es demasiado frecuente escuchar la historia del perro que vive en la punta de un callejón sin salida, donde sólo pasa un vehículo al día, y es ese vehículo el que atropella al perro. Basta un solo vehículo para terminar con la vida de un perro.

Varios problemas que afectan al Bull Terrier y de los cuales debería usted ser consciente son la sordera y la atopia o alergia cutánea. Lo primordial para evitar que un cachorro desarrolle una enfermedad genética es obtener su perro de manos de un criador reputado, tal y como se ha mencionado anteriormente.

La sordera, que se cree un factor que aparece al cruzar perros blancos sólo con perros blancos, tal y como se hizo a principios de la historia de esta raza, no es actualmente un problema tan grave como lo había sido. La sordera puede ser un problema en cualquiera de las razas de capa blanca. Hoy día los criadores someten sus perros a pruebas a una edad tan temprana como la de ocho semanas, para detectar cualquier problema auditivo.

Las alergias cutáneas son prevalentes en los perros de capa blanca. Si ve usted que su perro está constantemente mordiéndose o lamiéndose un punto concreto de su cuerpo, como por ejemplo sus pies, se le debería lle-

Seguramente se enamorará de su cachorro de Bull Terrier. Es importante estar al acecho de cualquier problema de salud que pueda afectar a la raza.

var a un veterinario dermatólogo y especialista en alergias. A veces, el prurito puede ser controlado con la prescripción de un fármaco.

El cáncer puede ser diagnosticado en cualquier raza canina, y los Bull Terrier no son excepción. Como en el caso de las personas, no siempre hay cura, pero la detección temprana es la mejor forma de prevención. Examine su perro cada vez que le acicale para ver si tiene algún bulto o protuberancia que no hubiera advertido antes. Los bultos que crecen rápidamente deben preocuparle, especialmente cuando se encuentran alrededor de las glándulas mamarias en las hembras. Haga que un veterinario examine cualquier bulto que detecte en su perro.

Su cachorro de Bull Terrier se fijará en usted, su propietario, para que satisfaga todas sus necesidades.

Su cachorro de Bull Terrier, lleno de energía, necesitará hacer mucho ejercicio y jugar fuera de casa para permanecer sano.

EL PERRO ANCIANO

El perro anciano (el mayor de ocho años) quizá necesite más cuidados o unos cuidados diferentes a los de un perro más joven. A medida que su perro envejece, su ritmo se ralentizará y seguramente desarrolle algo de artritis. Su vista y su oído pueden empezar a disminuir y quizá duerma más. Deje que haga su vida. No espere que disfrute con aquel paseo de 5 km con el que solía disfrutar cuando era un cachorro. Quizá quiera usted probar con algún alimento especialmente preparado para el perro anciano y sedentario. Asegúrese de que dispone de un lugar cálido donde dormir y trate de mantenerlo dentro de un peso normal, ya que la obesidad representa una sobrecarga para los huesos reumáticos.

A medida que envejezca y se vuelva más achacoso, se verá finalmente enfrentado a la decisión de tener que eutanasiar a su perro. Desgraciadamente, los perros y las personas no suelen morir mientras duermen. De todas formas, en el caso del perro podemos tomar la decisión de ser unos propietarios compasivos, y puede que llegue el día en que deba usted llevar su perro al veterinario para que lo eutanasien. Es difícil saber cuándo ha llegado el momento, pero, una vez más, use su sentido común y trate de no dejar que el perro sufra excesivamente.

A medida que su Bull Terrier envejezca, sus necesidades cambiarán gradualmente y quizá necesite usted adaptarse a la rutina de él para tenerle contento y a gusto.

SU NUEVO CACHORRO DE BULL TERRIER

SELECCIÓN

Cuando escoja un cachorro de Bull Terrier, no sea impaciente. Cuanto más estudie los cachorros, mejor les entenderá. Preocúpese en escoger sólo uno que irradie buena salud, buen humor, lleno de vida, cuyos ojos sean brillantes, cuyo pelaje sea lustroso y que venga hacia usted con ilusión para conocerle y estar con usted. No escoja ningún cachorrillo tímido que quiera retirarse a su cama o caja o que juegue tímidamente detrás de los otros cachorros o de las personas, o que esconda su cabeza bajo su brazo o su chaqueta apelando a su instinto protector. Elija usted al cachorro de Bull Terrier que le escoja directamente a usted. El sentimiento de atracción debería ser mutuo.

DOCUMENTOS

Ahora toca el papeleo. Cuando adquiera usted un cachorro de Bull Te-

Al seleccionar su cachorro de Bull Terrier, el criador debería ofrecerle una garantía contra las enfermedades hereditarias.

Al principio de su vida, su Bull Terrier recibirá gran parte de su nutrición de su madre. Una vez llegue a casa de usted, asegúrese de que su dieta incluya todos los nutrientes que necesite.

rrier de pura raza, debería recibir una factura de compra, los documentos de su inscripción en el libro de orígenes de la raza y otros papeles (una lista de las vacunas que se le hayan administrado, un certificado de desparasitación interna, una dieta y el programa de alimentación al que el cachorro está acostumbrado) y así se verá introducido, como propietario, a una asociación larga y placentera con una hermosísima mascota y a su educación y responsabilidades para con él.

PREPARATIVOS GENERALES

Ha escogido usted ser el propietario de un cachorro concreto de Bull Terrier. Usted lo ha escogido muy cuidadosamente de entre el resto de las razas y el resto de cachorros. Así que antes de traer ese cachorro a casa se habrá preparado usted leyendo todo lo que haya llegado a sus manos acerca del manejo y los cuidados de los Bull Terrier y los cachorros. Es cierto que se encontrará con opiniones con-

Quizá ahora sean pequeños, pero los cachorros de Bull Terrier alcanzan prácticamente su talla adulta cuando cumplen los seis meses de edad.

Los perros son una parte muy importante de las vidas de sus propietarios, y el lazo entre las personas y los animales es fuerte.

trapuestas, pero como mínimo no comenzará a ciegas. Lea, estudie, aprenda. Hable acerca de sus planes con su veterinario, con otros propietarios de Bull Terrier y con el vendedor de su cachorro.

Cuando se haga usted con su cachorro de Bull Terrier, se encontrará con que la lectura y el estudio no han acabado todavía. Simplemente se ha llevado una visión general y superficial respecto de sus planes para proporcionar a su Bull Terrier la mayor comodidad y salud posibles. Al mismo tiempo querrá usted asegurarse de disfrutar al máximo de esta maravillosa criatura. Debe estar preparado para satisfacer las necesidades tanto físicas como psíquicas del cachorro.

TRANSPORTE

Si lleva su cachorro a casa en automóvil, protéjale de las corrientes de aire, especialmente si el clima es frío. Si lo lleva envuelto en una toalla y en los brazos o el regazo de un pasajero, el cachorro viajará sin problemas. Si comienza a babear y a revolverse, pare el coche durante unos minutos. Tenga algunos periódicos a mano por si se marea. Si va usted solo, una caja de cartón con papel de periódico en el fondo proporcionará protección al cachorro y al coche. Evite excitarle o tocarlo excesivamente al llegar. Un cachorro de Bull Terrier es un animal muy pequeño para acostumbrarse a un completo cambio de ambiente y de compañías, así que necesita descansar y refrescarse para recuperar su vitalidad.

EL PRIMER DÍA Y LA PRIMERA NOCHE

Cuando su cachorro de Bull Terrier llegue a su hogar, colóquele sobre el suelo y no le coja de nuevo, excepto

Todos los cachorros necesitan morder, y los cachorros de Bull Terrier no son diferentes. Proporciónele juguetes seguros y saludables de Nylabone® para que disfruten.

Su cachorro necesitará una sociabilización adecuada desde el principio, si es que queremos que se convierta en un muy apreciado miembro de su familia.

cuando sea absolutamente necesario. Se trata de un perro, un perro de carne y hueso, y no se debe jugar con él como si fuera una muñeca. Cójale lo menos posible y no permita que nadie lo tome y lo acune. Para que quede claro: *coloque su cachorro de Bull Terrier sobre el suelo y déjele ahí, a no ser que sea necesario hacer cualquier otra cosa.*

Es muy posible que su cachorro esté asustado mientras se encuentra en su nuevo ambiente, sin su madre y sus compañeros de camada. Confórtele y haga que se sienta seguro, pero no le consuele. No le trate mimosamente. Tenga calma, sea amistoso y déle confianza. Anímele a caminar y a olisquear por casa. Si está oscuro, encienda las luces. Déjele moverse durante algunos minutos mientras usted y los demás se sientan tranquilamente o se ocupan de sus quehaceres. Provoque que sea el cachorro quien vuelva a su lado.

Los compañeros de juegos pueden causar un problema inmediato si el nuevo cachorro va a ser saludado por los niños o por otras mascotas. Si no es así, puede usted obviar este tema. La afinidad natural entre los cachorros y los niños requiere supervisión hasta que se establezca una relación de «vive y deja vivir». Esto se aplica especialmente al cachorro que se regala durante las fiestas navideñas, cuando hay más emoción de lo normal y más posibilidades de que el cachorro se trague algo que no debiera. Es mejor traer al cachorro varios días antes o después de las fiestas. Al igual que para un bebé, su cachorro de Bull Terrier necesita mucho descanso y no se le debería sobar. Una vez que un niño se dé cuenta de que un cachorro tiene «sentimientos» parecidos a los suyos, y que se le puede hacer daño o herir fácilmente, las oportunidades para jugar y las responsabilidades les proporcionarán ejercicio y educación a ambos.

Es importante recordar que cuando su cachorro de Bull Terrier es joven necesitará que le dé usted confianza y le guíe durante sus primeros días en casa.

En su primera noche, se le debería dejar en el lugar donde vaya a dormir cada noche (por ejemplo en la cocina, ya que su suelo se puede limpiar fácilmente). Déjele explorar la cocina hasta que quede contento y cierre las puertas para que no se escape de ahí. Prepare su alimento y déle una comida ligera la primera noche. Déle un bol con algo de agua (no demasiada, ya que la mayoría de los cachorros tratarán de beberse todo el agua

Los cachorros pueden meterse en toda clase de problemas. Asegúrese de confinarles en un lugar seguro cuando no se les vigile de cerca.

sin dejar dejar ni gota). Proporciónele una vieja chaqueta o camisa sobre la que dormir. Como la chaqueta o la camisa estarán impregnadas de un olor humano, escogerá tumbarse sobre ellas, y esto hará que aumente su sensación de seguridad respecto de esa habitación donde se le acaba de dar de comer.

LA EDUCACIÓN BÁSICA

Ahora, más tarde o más temprano (aunque más bien temprano), su nuevo cachorro de Bull Terrier se hará sus necesidades en el suelo. En primer lugar, coja papel de periódico y colóquelo sobre el «charco» hasta que absorba la orina. *No tire este papel.* Ahora coja un trapo con agua y jabón, limpie el suelo y séquelo bien. A continuación lleve el papel mojado y colóquelo sobre una zona grande llena de papel de periódico en una esquina adecuada. Cuando limpie esa zona, deje siempre un papel mojado encima de los demás. Cada vez que quiera hacer sus necesidades, buscará este lugar y usará los papeles. (Esta rutina rara vez es necesaria durante más de tres días seguidos.) Ahora deje que su cachorro pase la noche a solas.

Anime a su cachorro a explorar lo que tiene a su alrededor. Las nuevas experiencias enriquecerán su vida y le convertirán en un participante activo de su propia sociabilización.

Es probable que llore y gima un poco: algunos son más tozudos que otros en este aspecto. Pero déjele solo durante la noche. Esto puede parecer como que se le maltrata, pero es lo mejor a largo plazo. Sencillamente deje que llore, ya se cansará más tarde o más temprano.

Un cachorro es una criatura particularmente sociable y necesita la compañía de otros cachorros cuando es joven. Cuantos más animales y personas conozca, mejor sociabilizado se volverá.

ALIMENTACIÓN DE SU BULL TERRIER

Ahora hablemos de la alimentación de su Bull Terrier, un asunto tan fácil que es increíble que se digan tantas tonterías y haya tantos malentendidos al respecto. ¿Es caro alimentar a un Bull Terrier? No, no lo es. Usted puede alimentarlo económicamente y mantenerle en forma durante todo el año, o puede gastarse bastante dinero en su alimentación. Él medrará de cualquiera de las dos formas.

En primer lugar, recuerde que un Bull Terrier es un perro. Los perros no son muy selectivos en lo concerniente a la comida, y a no ser que les eche usted a perder ofreciéndoles una gran variedad (y haciendo posible que se vuelvan quisquillosos con la comida), comerán casi cualquier cosa a la que estén acostumbrados. Muchos perros se niegan rotundamente a comer carne de vacuno. Comerán todo lo demás, pero no la carne. ¿Por qué?

Consulte con su criador o su veterinario acerca de la dieta adecuada para su Bull Terrier.

Los POPpups™ son unas golosinas sanas para su Bull Terrier. Cuando son duros como un hueso ayudan a controlar la acumulación de placa dental y cuando se calientan en el microondas se convierten en un apetitoso aperitivo crujiente que encantará a su Bull Terrier. El POPpup™ se puede encontrar con sabor a cordero y arroz y con otros sabores, y está enriquecido con calcio.

¡No están acostumbrados a ella! Comerán la carne de conejo muy a gusto, pero rechazarán la de vacuno porque no están habituados.

LA VARIEDAD NO ES NECESARIA

Una buena regla empírica es olvidarse de las preferencias de las personas y no pensar en la variedad. Escoja la dieta adecuada para su Bull Terrier y ofrézcasela día tras día, año tras año, en verano y en invierno. Pero... ¿cuál es la dieta adecuada?

Se han gastado centenares de miles de dólares en la investigación para la nutrición canina. Los resultados son bastante concluyentes, así que no necesitará experimentar demasiado ni hacer pruebas con diferentes alimentos cada dos semanas. La investigación ya ha descubierto lo que necesita su perro para comer y para mantenerse sano.

LOS ALIMENTOS PARA PERROS

Hay casi tantas dietas adecuadas como expertos en perros, pero la dieta básica que casi siempre se recomienda es la que consiste en un alimento seco, ya sea en forma compacta de bolas o de galletas. Hay varias de excelente calidad, fabricadas por compañías fiables, probadas mediante investigación y anunciadas por todas partes. Se las puede encontrar a unos precios que no son caros, son muy satisfactorias y se pueden encontrar fácilmente en las tiendas de cualquier localidad en envases que van desde los 2,5 hasta los 25 kg. Cuanto mayor sea la cantidad más barata resulta.

Si ha mirado usted con antelación unas marcas, suele ser más seguro elegir la más conocida, pero aun así lea cuidadosamente la etiqueta del envase. No seleccione ningún alimento

Una recompensa sana y sabrosa para su Bull Terrier, porque les encanta el queso, es el Chooz™. Los Chooz™ tienen la dureza del hueso, pero pueden meterse en el microondas, con lo cual se expanden para dar lugar a una galleta para perros enorme y crujiente. Están prácticamente libres de grasa y contienen alrededor de un 70 % de proteína.

Estos cachorros de Bull Terrier crecen a pasos agigantados y necesitarán alimentos nutritivos para ayudarles a convertirse en unos adultos sanos.

que contenga menos del 25% de proteína, y asegúrese de que esta proteína sea una mezcla de origen animal y vegetal. Los buenos alimentos para perros contienen harinas de carne, pescado, hígado e ingredientes por el estilo, más proteína de alfalfa y habas de soja, además de algún producto lácteo deshidratado. Observe con atención el contenido en vitaminas. Fíjese en que las proporciones sean adecuadas y asegúrese de que el alimento contenga niveles altos y adecuados de vitaminas A y D, que son dos de las más perecederas e importantes. Preste atención a los niveles del complejo de vitaminas del grupo B, pero no se preocupe de los carbohidratos y minerales. Estas sustancias están presentes en abundancia y son baratas, así que es muy poco probable que falten en una buena marca.

Los consejos dados acerca de cómo escoger un alimento seco también se aplican para los alimentos de tipo enlatado, si es que decide usted usar uno de éstos.

Una vez haya escogido un alimento realmente bueno, déselo a su Bull Terrier tal como indique el fabricante, y una vez haya comenzado siga con él. El cambio de un alimento seco puede ser llevado a cabo sin que haya mucho problema. De todas formas, un cambio les conllevará indudablemente, a usted y a su Bull Terrier, algún problema.

El Galileo™ es el hueso de nylon más duro que nunca se haya fabricado. Tiene sabores para atraer a su Bull Terrier y una capa externa relativamente blanda. Es un juguete para morder necesario y que tranquilizará a su perro.

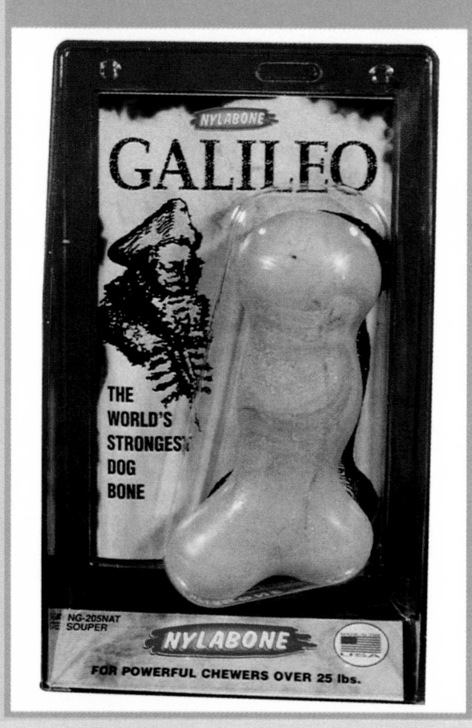

CUÁNDO SON NECESARIOS LOS SUPLEMENTOS

¿Qué hay acerca de los suplementos de los varios tipos: minerales y vitamínicos o de los diversos aceites? Está bien añadirlos a la dieta de su Bull Terrier. De todas formas, si le está dando un alimento adecuado, y esto es fácil de conseguir, no harán falta a no ser que no se alimente correctamente a su Bull Terrier, haya estado enfermo o esté gestante. Los minerales y las vitaminas están presentes de forma natural en todos los alimentos, y para asegurarse contra las pérdidas debidas al procesado, se añaden, concentradas, al alimento que está usted usando. A no ser por consejo de su veterinario, el añadir vitaminas puede ser perjudicial para su Bull Terrier. El mismo riesgo se aplica para los minerales.

PROGRAMA DE ALIMENTACIÓN

¿Cuándo y cuánta comida se debe dar a su Bull Terrier? A la mayoría de los perros les va mejor, si se les proporcionan dos o tres comidas pequeñas cada día (esto no es sólo mejor si-

Este Bull Terrier ha decidido servirse él mismo un aperitivo.

El Hercules™ está fabricado con poliuretano muy resistente. Está diseñado para los Bull Terrier que son fuertes mordedores. Los dientecillos de la superficie masajean las encías y eliminan mecánicamente la placa con la que se encuentran mientras el perro muerde.

no que es vital para los perros de tórax profundo). En cuanto a la preparación del alimento y a la cantidad a suministrar, generalmente es mejor seguir las instrucciones del envase. Su propio Bull Terrier puede que quiera un poco más o un poco menos.

El agua fresca y limpia debería estar siempre a disposición de su Bull Terrier. Esto es importante para que conserve una buena salud a lo largo de su vida.

LOS BULL TERRIER NECESITAN MORDER

Los cachorros y los Bull Terrier jóvenes necesitan algo resistente que morder mientras sus dientes y maxilares se desarrollan, para ayudar a desgastar los dientes de leche, para inducir el crecimiento de los dientes permanentes por debajo de los de leche, para ayudar a que éstos se des-

Asegúrese de proporcionar a su cachorro de Bull Terrier agua fresca y limpia en todo momento.

Su cachorro se merece lo mejor. Proporciónele gran cantidad de juguetes para morder seguros y saludables durante su periodo de dentición, como por ejemplo este Nylabone® Frisbee™.

prendan en el momento adecuado, para ayudar a que salgan los dientes permanentes a través de las encías, para asegurar el normal desarrollo de los maxilares y para hacer que los dientes permanentes queden fijamente anclados en los maxilares.

El deseo de morder del Bull Terrier se debe al instinto de limpiarse los dientes, masajear las encías y ejercitar los maxilares, además de la necesidad de tener una válvula de escape para sus tensiones psíquicas.

Ésta es la razón de por qué los perros, y especialmente los cachorros y los perros jóvenes destrozarán frecuentemente objetos de su propiedad cuando su instinto de morder no sea reconducido a otras cosas que sí pueden morder. Ésta es la razón de por qué debería usted proporcionarle algo que posea las cualidades funcionales necesarias, que sea deseable desde el punto de vista del perro y seguro para él.

Es muy importante que a su Bull Terrier no se le permita morder cualquier cosa que pudiera romper o cualquier otra no digerible que desprenda trozos que se puedan tragar. Los trozos afilados, como las astillas de un hueso (que un perro podría romper), pueden perforar la pared intestinal y matar al animal. Las cosas no digeribles que pueden arrancarse a trozos, como por ejemplo zapatos o de juguetes de goma o de plástico pueden provocar un bloqueo intestinal (si no son regurgitados) y pueden dar lugar a una muerte dolorosa, a no ser que se realice rápidamente una operación quirúrgica.

Los huesos naturales y fuertes, como por ejemplo un trozo de 10 a 20 cm de una tibia de vacuno (ya sea una que pueda proporcionarle un carnicero o una de las variedades comerciales que están a su disposición en las tiendas de mascotas) pueden ser de utilidad para la dentición de su Bull Terrier si su boca tiene el tamaño adecuado para roerlos eficientemente. Quizá se vea usted tentado de darle un hueso de menor tamaño que él no pueda romper mientras sea un cachorro; pero ellos crecen rápidamente y la fuerza de sus maxilares aumenta hasta llegar a la madurez. Esto significa que un Bull Terrier en crecimiento puede que rompa uno de los huesos de menor tamaño en cualquier momento, se trague los trozos y muera entre fuertes dolores antes de que se dé usted cuenta de qué es lo que está pasando.

Todos los huesos naturales y duros son muy abrasivos. Si su Bull Terrier es un mordedor muy ávido, los huesos naturales quizá desgasten sus dientes prematuramente; así pues, deberían retirarse de su alcance cuando ya hayan realizado su función respecto de la dentición. Los dientes mal desgastados generalmente molestan al perro viejo y pueden tener su origen en que mordió excesivamente huesos naturales.

Contrariamente a la creencia popular, los huesos de la rodilla, que pueden ser desgastados mordiéndolos y

Este Bull Terrier disfruta retozando fuera de casa. Recuerde que la nutrición adecuada mantendrá a su perro con una buena salud.

Si su Bull Terrier prefiere morder a hacer cualquier otra cosa, el Gumabone™ está hecho para él. Ofrézcale uno que está fabricado con poliuretano no tóxico y resistente sobre el cual podrá clavar sus dientes.

ser tragados por su Bull Terrier, no le proporcionarán mucho calcio (si es que le proporcionan algo) ni ningún otro nutriente. De todas formas, pueden originar problemas en la digestión y provocar que vomiten el alimento que ingieren y que tan necesario les es.

Los productos fabricados con cuero de vaca de varios tipos, formas, tamaños y precios están a su disposición en el mercado y se han vuelto bastante populares. De todas formas, no son muy útiles para los propósitos de morder, son muy sucios cuando se mojan con la saliva del perro, y la mayoría de los Bull Terrier los desgastan con sus mordiscos con bastante facilidad, pero se les ha considerado seguros para los perros hasta hace poco tiempo. Ahora, más y más incidentes de muertes y de accidentes por asfixia han sido notificados como debidos al resultado de trozos parcialmente tragados de cuero de vaca que se dilataban en la garganta. Más recientemente, algunos veterinarios han atribuido algunos casos de estreñimiento agudo a trozos grandes de cuero en los intestinos no completamente digeridos.

Un nuevo producto, el cuero de vaca moldeado, es muy seguro. Durante su proceso, el cuero de vaca se funde y después se inyecta en un molde en forma de hueso o de otro objeto familiar para el perro. Es muy duro y los Bull Terrier lo aceptan con alegría. El proceso de fundido también esteriliza el cuero. No confunda esto con el cuero presionado, que sólo consiste en pequeñas tiras de cuero que se someten a una cierta presión para que se peguen entre sí.

Los huesos de nylon, especialmente aquellos con trozos añadidos de carne y hueso, son probablemente la respuesta más completa, segura y económica para las necesidades de morder de su perro. Los perros no los pueden romper ni arrancar trozos que se pudieran tragar. Así pues, son completamente seguros, y al ser muy duraderos son más económicos.

Cuando el perro muerde duro produce pequeñas proyecciones en forma de cerdas sobre la superficie de los huesos de nylon, que proporcionan una limpieza de las superficies interdentales y un vigoroso masaje de las encías, de forma muy parecida a lo que un cepillo de dientes hace por usted. Estas pequeñas proyecciones son arrancadas y tragadas en forma de pequeñas hebras, pero la química del nylon es tal, que se disuelven en los fluidos estomacales y pasan a través del estómago sin ningún efecto.

La dureza del nylon proporciona esa gran resistencia a los mordiscos necesaria para ejercitar bien las mandíbulas y ayudar con eficacia en la dentición, pero los dientes no se desgastan, pues el nylon no es abrasivo. Al ser inerte, el nylon no colabora en el crecimiento de microorganismos, y puede ser lavado con agua y jabón, además de poderse esterilizar mediante el hervido o introduciéndolo en un autoclave.

El Nylabone® es muy recomendado por los veterinarios por ser un hueso de nylon seguro y sano que no puede dar lugar a astillas o trozos. El Nylabone® es desgastado por los mordiscos del perro, lo que da lugar a una superficie en forma de cepillo que limpia los dientes y masajea las encías. El Nylabone® es mejor que los huesos más baratos porque está fabricado a partir de nylon virgen, que es el más resistente y duradero que existe. Los huesos más baratos están fabricados a partir de nylon reciclado o de trozos de nylon molidos, y tienden a romperse y dar lugar a trocitos.

De todas formas, nada puede sustituir a un profesional en el cuidado, de los dientes y las encías de su Bull Terrier, al igual que pasa en nuestro caso con el cepillo de dientes. Haga que su veterinario limpie los dientes de su Bull Terrier como mínimo una vez al año (mejor dos) y así estará más contento, más sano y será mucho más placentero vivir con él.

Todos los Bull Terrier necesitan algo de sustancia vegetal en su dieta. El Carrot Bone™, fabricado por Nylabone® ayuda a controlar la placa dental y es una recompensa saludable para su Bull Terrier.

ACICALADO DE SU BULL TERRIER

Comprenda usted que cuando adquiere un perro se lo lleva con la responsabilidad de cuidar de él. Piénselo como si se tratara de su hijo: usted baña a su hijo, lo peina y le pone ropa limpia. El resultado es un niño que huele bien, tiene un buen aspecto y de cuya compañía disfruta usted. Lo mismo se aplica a su perro: cepíllelo y manténgalo limpio y encontrará que es todo un placer estar con él. Afortunadamente, a los propietarios de Bull Terrier les basta un acicalado mínimo en comparación con otros Terriers como el Fox Terrier de pelo duro o el Scottish Terrier.

El acicalado consistirá en primer lugar, de un «pase» semanal. Aquí están todos los instrumentos que necesitará:

1. Una mesa para el acicalado, que sea resistente y esté cubierta por una alfombra de plástico. Necesitará usted un brazo para el acicalado o un gancho. Puede usar una mesa en su lavadero con un gancho en el techo para sujetar la correa. Su perro se sentirá cómodo aunque se vea sujeto, y así podrá usted trabajar libremente. El acicalado (especialmente el corte de uñas) puede ser algo frustrante si lo intenta usted sin una mesa y un brazo.

2. Un cepillo de cerdas, un guante para el acicalado y un cortaúñas.

3. Bolas y torundas de algodón y trapos viejos.

Para empezar, coloque su perro sobre la mesa y pase la correa alrededor

Acicalar a su Bull Terrier sobre una mesa especialmente construida para este fin y sujetarle con un árnes le ayudará a tenerle seguro y quieto durante sus sesiones de peluquería.

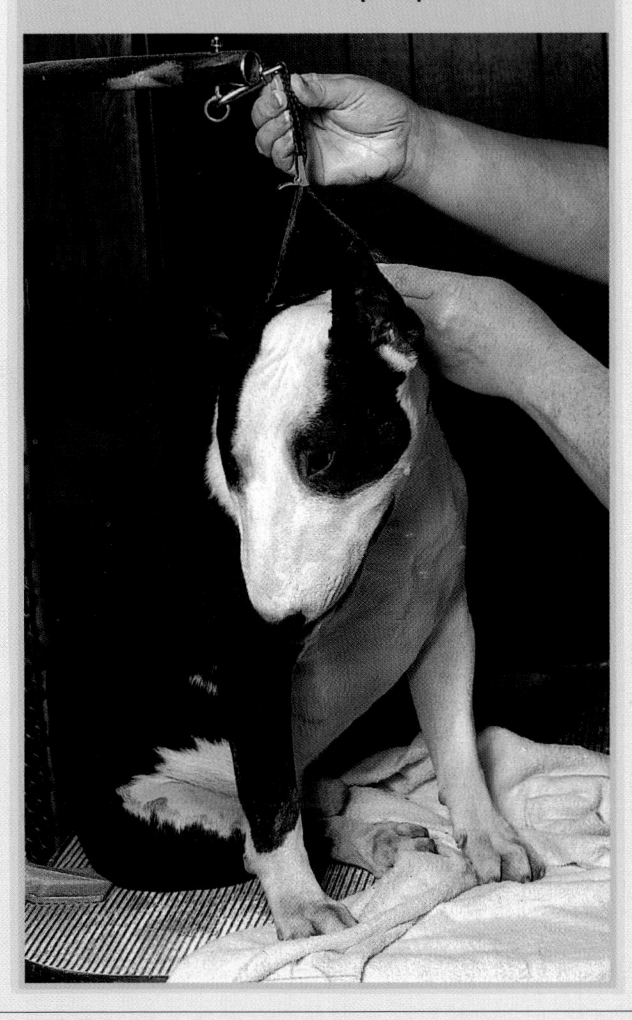

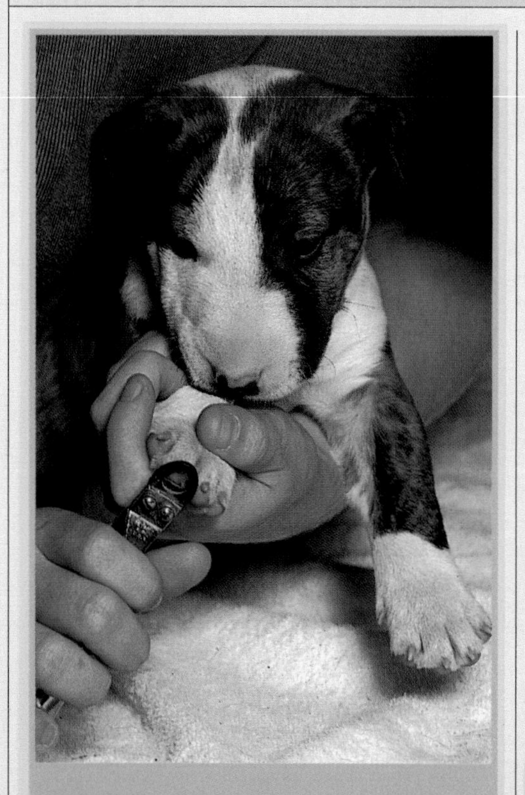

Nunca debe olvidarse de los pies de su Bull Terrier durante el acicalado. Observe si tiene grietas en sus almohadillas plantares y mantenga sus uñas cortas para prevenir las heridas.

de su cuello. Haga que la correa pase por detrás de las orejas y que esté tirante cuando la sujete al gancho. No se vaya y deje a su perro desatendido: podría saltar de la mesa y quedar colgado.

Cepíllelo y límpielo con un trapo húmedo. Examine sus ojos para ver si están rojos o irritados y límpielos con una bola de algodón húmedo. Examine las orejas y los oídos. Tome un bastoncillo para limpiar las orejas mojado en alcohol y limpie con cuidado, sin hurgar en el canal del oído. Esté atento a los bultos o protuberancias inusuales cuando esté acicalándolo.

Si necesita un baño, colóquelo en una palangana, déle un buen baño y aclárele. Asegúrese de eliminar todo el champú de su pelaje, ya que cualquier resto podría irritar la piel. Después de secarle con una toalla, vuelva a la mesa de acicalado. Éste es un buen momento para cortarle las uñas, ya que estarán blandas y será más fácil cortarlas. También verá que un baño desprenderá cualquier pelo muerto. Después de acabar con el baño asegúrese de cepillarlo a conciencia, ya que así eliminará los pelos muertos de la subcapa.

Quizá quiera recortarle completamente los bigotes, ya que esto dará al perro un aspecto pulcro y limpio (es usual en los EE.UU.). Séquele bien con una toalla o use un secador si hace frío. Si el día es bueno y soleado, quizá quiera dejarle salir fuera para que se seque.

Nunca permita que su Bull Terrier quede mojado tras su baño. Envuélvalo en una toalla limpia y séquelo a conciencia.

Este precioso Bull Terrier disfruta, obviamente, mostrando su buen acicalado a la cámara.

Si expone usted a su Bull Terrier, en certámenes de belleza puede untarle algo de crema para que su pelaje tenga un aspecto brillante. Además, un cepillado dos vece54s por semana, sumado a una dieta sana mantendrán el pelaje sano. El corte de pelo para presentar al perro será mínimo, y el objetivo será que el perro tenga un aspecto uniforme y agradable. Arranque con sus dedos cualquier pelo que esté fuera de lugar para darle un buen aspecto.

¡Y bien! ¡Ya ha terminado! Los perros de pelo liso no requieren muchos cuidados y los que tenemos uno lo apreciamos.

Por supuesto, si quiere usted tomar el camino fácil, puede llevarlo a un peluquero canino cada dos meses para que le bañen y le corten las uñas. De todas formas, cuando se tiene una raza tan fácil de acicalar como el Bull Terrier, es una pena dejar que sea otra persona la que haga el trabajo. Además, el tiempo que pase usted acicalándolo dará como resultado un lazo más estrecho con su perro.

Una vez más, su perro debería ser cepillado cada semana y bañado a medida que lo necesite. Las uñas deberían cortarse cada mes, más o menos. Siga este sencillo plan y su perro olerá bien, estará limpio y será todo un placer estar a su lado.

Si acostumbra usted a su Bull Terrier al acicalado regular, él llegará a pensar que es una experiencia placentera.

PRESENTACIÓN EN CERTÁMENES DE SU BULL TERRIER

La prestigiosa exposición del Westminster Kennel Club, que se celebra cada año a principios de febrero en Nueva York, es la segunda exposición anual más antigua de los Estados Unidos. La primera es el Derby de Kentucky.

Si es usted un principiante en las exposiciones caninas, debería asistir a un par de exposiciones locales con su perro para ver en qué consisten y disfrutar del ambiente que en ellas se respira. Si es usted competitivo, si dispone de tiempo y dinero para competir y, por supuesto, tiene un buen perro, quizá éste sea su deporte y su hobby.

Póngase en contacto con una asociación canina y averigüe si ofrecen cursillos en los cuales pueda usted aprender cómo manejar su perro en el ring. Empiece asistiendo a estas clases regularmente. Una sola clase no le convertirá en un experto. Normalmente todas las sociedades caninas organizan una o dos competiciones anuales y debería hacer usted planes para asistir a ellas. Las competiciones se

En cuanto a la belleza, su perro es valorado respecto a su grado de aproximación al estándar de la raza.

celebran como una exposición canina, pueden ser en mayor o menor grado informales, según la concesión de puntos del campeonato que otorguen y los simples concursos o desfiles son un buen lugar para que el novato aprenda. No recibirá ningún punto para conseguir el título de campeón, pero aprenderá cómo funciona un certamen canino y qué es lo que se espera de usted y de su perro. Las cuotas para la inscripción son mínimas. Ésta es también una buena oportunidad para conocer a la gente que trabaja con la raza.

Cuando crea usted que está preparado (cuando su perro pasee bien con la correa y se sienta usted con confianza) inscríbase a una exposición canina puntuable.

Recuerde que la participación con éxito en las exposiciones caninas requiere paciencia, tiempo, dinero, habilidad y talento. Es una de las pocas competiciones deportivas en la que los profesionales y los amateurs compiten como iguales. El perro medio que compite en las exposiciones se mantiene en activo sólo durante cuatro o cinco años. Los compromisos personales como los niños, el trabajo y otras aficiones pueden suponer un problema para aquellos que quieren competir cada fin de semana. Lo más frecuente es que el competidor que no gane suficientes veces se encuentre con que su interés va disminuyendo. Un perro mal acicalado, mal criado, un perro al que no le guste participar en las exposiciones o un presentador que no dedique el tiempo suficiente a aprender cómo manejar al perro adecuadamente, serán factores que no ayudarán a que esa persona permanezca durante mucho tiempo en el mundo de las exposiciones caninas.

Para competir en el ring de belleza, su Bull Terrier tendrá que conocer las órdenes básicas. Ya sabe usted que con la práctica se alcanza la perfección.

Es importante recordar que su Bull Terrier quiere complacerle y que, con paciencia, aprenderá lo que tenga usted que enseñarle.

Siempre es un placer ver a un buen Bull Terrier en el ring: es listo, musculoso y uno que sea bueno se mostrará como todo un soldado. Ch. Haymarket Faultless fue Best in Show (Mejor de la Exposición) en la exposición del Westminster Kennel Club en 1918. En 1983, Ch. Banbury Benson of Bedrock, un Bull Terrier de color presentado por su propietario, fue el ganador en el Grupo de los Terriers en la exposición canina del Westmister Kennel Club. Muchos Bull Terrier, blancos y de color, han ganado el Best in Show en exposiciones caninas abiertas a la participación de todas las razas.

El Bull Terrier Club of America celebra la Silverwood Competition. Ésta es la exposición más prestigiosa en los EE.UU. para la raza porque reúne a los mejores participantes de todo el país para competir por ser el Mejor Bull Terrier criado en los Estados Unidos. Los criadores exponen sus animales, los aficionados tienen la oportunidad de ver los próximos campeones de la raza, se renuevan las viejas amistades y se conoce a nuevas personas. Además, se celebran seminarios y encuentros acerca de la salud, la belleza y los posibles problemas que pueden afectar a la raza. Para aquellas personas activas en la cría y la presentación del Bull Terrier éste es un evento que no se pueden perder.

ADIESTRAMIENTO DE SU BULL TERRIER

Usted debe adiestrar a su Bull Terrier. El privilegio de ser adiestrado es su derecho de nacimiento, y tanto si su Bull Terrier va a ser un perro casero y un compañero hermoso y bien educado como si va a ser un perro de exposición o cualquier otra cosa que se le ponga a hacer, el adiestramiento básico es siempre el mismo: todo debe comenzar con la obediencia básica o lo que podríamos llamar «adiestramiento para el buen comportamiento».

Su Bull Terrier debe venir a su lado inmediatamente cuando le llame y debe obedecer, también al instante, las órdenes de «siéntate» (sit) o «échate» (down). Debe caminar tranquilamente al decirle usted «camina» (heel), tanto si va sujeto por la correa como si no. Debe comportarse bien y ser educado vaya adonde vaya, y lo mismo se aplica cuando se encuentre con gente desconocida en la calle y en las tiendas. No debe ladrar a los niños que vayan en patines o en bicicleta, ni a otros animales domésticos. Hay que evitar que persiga a los gatos. Perseguir a los gatos no entra en sus derechos y se le debe regañar por ello.

El adiestramiento tendrá mucho más éxito si hace usted que sea divertido e interesante. Aunque la corrección suave será a veces necesaria, al final acabará valiendo la pena.

ADIESTRAMIENTO PROFESIONAL

¿Cómo adiestrarle? Bien, es un procedimiento muy fácil y bastante estandarizado hoy día. En primer lugar, y si se puede permitir el gasto extra, puede usted llevar a su Bull Terrier a un centro de adiestramiento profesional, en el cual, en 30-60 días aprenderá a ser un «perro bueno». Si contrata este servicio, siga los consejos del director del centro acerca de cuándo ir a ver al perro. No, él no se olvidará de usted, pero las visitas demasiado frecuentes y en momentos no adecuados pueden ralentizar sus procesos de aprendizaje. El uso de un centro de adiestramiento quiere decir que usted también tendrá que recibir algo de adiestramiento después de que el adiestrador crea que su Bull Terrier está listo para volver a casa. Tendrá que aprender cómo «funciona» su Bull Terrier, qué es lo que se puede esperar de él y cómo hacer uso de lo que el perro ha aprendido.

Este Bull Terrier que está alerta, espera la próxima orden de su amo.

Asegúrese de que su Bull Terrier obtenga suficiente refuerzo positivo, como por ejemplo recompensas y elogios, durante el adiestramiento, y en muy poco tiempo obedecerá todas las órdenes.

ADIESTRAMIENTO PARA LA OBEDIENCIA

Otra forma de adiestrar a su Bull Terrier (mucha gente con gran experiencia cree que es la mejor) es seguir un cursillo de adiestramiento en obediencia con un grupo de trabajo. Usted trabajará allí con un grupo de personas que también están comenzando desde cero. De hecho adiestrará usted a su perro, ya que todo el trabajo se realiza bajo la dirección de un adiestrador jefe que le hará sugerencias y también le dirá cuándo y cómo corregir los errores de su Bull Terrier. Además, trabajando con un grupo, su Bull Terrier aprenderá a llevarse bien con otros perros y, lo que es más importante, aprenderá a hacer exactamente lo que le ordenan, sin importar cuánta confusión haya a su alrededor o sus deseos de hacer lo que le venga en gana.

Diríjase a la sociedad canina más cercana para que le informen acerca de dónde se encuentra el grupo de trabajo más cercano a su domicilio. Inscríbase. Vaya regularmente a cada sesión. Acuda temprano y marche tarde. Tanto usted como su Bull Terrier se beneficiarán mucho.

ADIESTRARLE MEDIANTE LIBROS

La tercera forma de adiestrar a su Bull Terrier es leyendo libros. Sí, lo puede hacer de esta manera y con buenos resultados. Pero cuando use este método, escoja un libro, cómprelo y estúdielo cuidadosamente. Luego estudie algo más, hasta que asimile totalmente las técnicas. A partir de ahí comience con el adiestramiento, pero cíñase al libro, sus consejos y sus ejercicios. No comience y empiece a inventarse sus propias reglas. Si no sigue las indicaciones del libro se meterá en problemas que no podrá solucionar. Si después de unas cuantas horas de sesiones cortas de adiestramiento su perro no responde como debería, vuelva al libro para estudiarlo, porque será culpa suya y no de su perro. Los procedimientos para el adiestramiento canino han sido tan bien sistematizados que debe ser culpa de usted, ya que, literalmente, miles de Bull Terrier han sido adiestrados siguiendo el método del libro.

Cuando su Bull Terrier se comporte perfectamente en cualquier situación podrá, si quiere usted, pasar al adiestramiento avanzado y a enseñarle trucos.

A su Bull Terrier le encantará su adiestramiento para la obediencia, y usted estará muy orgulloso cuando vea el resultado. Su Bull Terrier incluso disfrutará más de la vida y usted disfrutará más de su Bull Terrier. Y recuerde: el perro tiene el derecho de ser adiestrado.

Las clases de adiestramento en grupo no son sólo una maravillosa forma de enseñar las órdenes de obediencia básica, sino que además le dan una muy valiosa oportunidad para la sociabilización.

TRABAJAR CON UN BULL TERRIER

Todos los Bull Terrier deberían poder estar por la casa, tomar una buena comida, recibir cariño y atenciones y que les saquen a dar un paseo o a jugar cada día. De todas formas, a algunos propietarios les gusta el reto que supone trabajar con su perro, adiestrarle para que obedezca órdenes y verle realizar las tareas para las que fue criado. Con los Terriers, uno puede trabajar la obediencia, incluyendo el rastreo o la utilidad, o adiestrarle para el Agility. Seguro que trabajar con un Terrier supone un reto, pero puede hacerse, y su propietario puede obtener una

El juguetón Bull Terrier necesita actividad regular, y disfrutará jugando por el jardín.

gran satisfacción una vez se consiga el objetivo.

OBEDIENCIA

Ésta no es una raza con la que sea fácil trabajar en cuanto a la obediencia, ya que incluso con la inteligencia y el espíritu independiente que poseen los Terriers, pueden ser, a veces, más difíciles de adiestrar de lo que pudiéramos haber previsto. Verá usted abundancia de Golden Retriever, Caniches y Schnauzer Miniatura en las clases de obediencia, ya que es fácil trabajar con estas razas. No sólo son inteligentes, sino lo más importante,tienen buena disposición para complacer a su amo.

Para el trabajo de obediencia, el perro y el presentador necesitan tener aptitudes y determinación. El presentador debe dedicar tiempo a trabajar con el perro cada día, incluso aunque sólo sea durante cinco minutos. También debe tener paciencia y el perro estar dispuesto a llevar a cabo su actuación, y como mínimo algo de voluntad para complacer. Una vez se haga este emparejamiento, un presentador y su perro pueden estar muy bien en el camino para la consecución de un título de obediencia, y el presentador sentirá una enorme satisfacción y un triunfo teniendo un perro tan listo trabajando a su lado. Los espectadores disfrutan mucho viendo la acción en las pistas de obediencia, ya que pueden comprender lo que está haciendo (o no) el perro, mucho mejor que cuando observan las competiciones de belleza.

Las clases de obediencia se ofrecen por todo el país, y a no ser que viva usted en una zona muy remota, debe tener la posibilidad de asistir a alguna. Hay clases que son ofrecidas por adiestradores privados y otras distintas sociedades caninas. Hay diferentes métodos de instrucción, y quizá se encuentre con que vale la pena visitar varios centros para ver

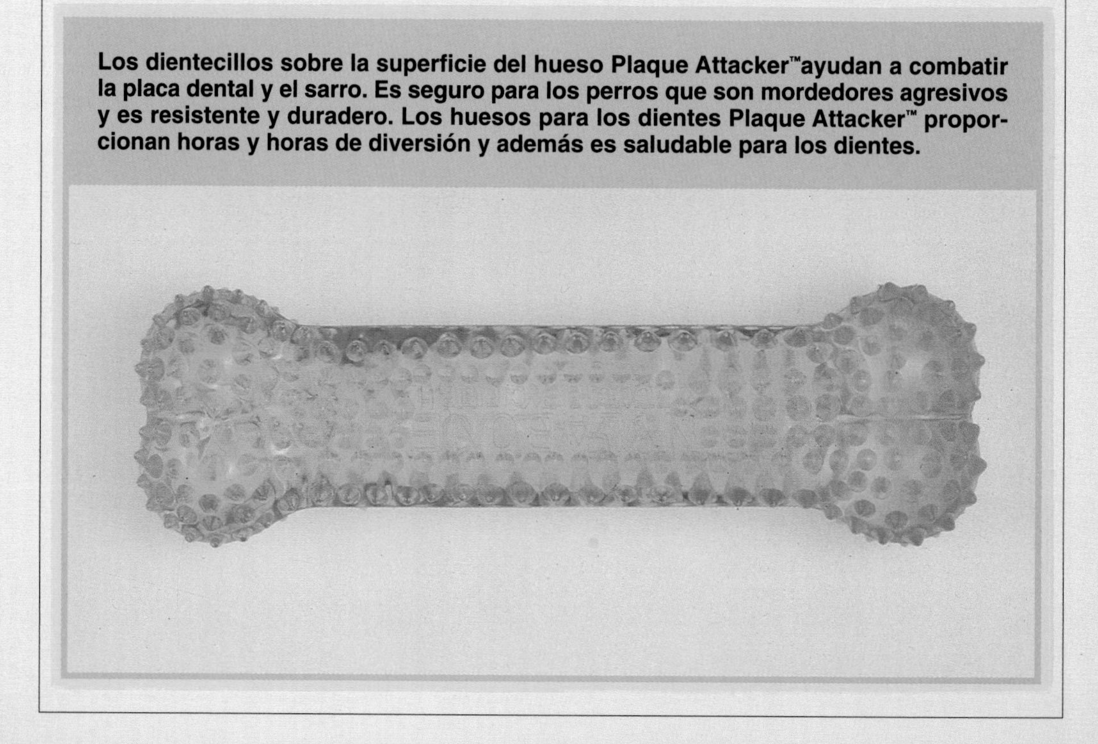

Los dientecillos sobre la superficie del hueso Plaque Attacker™ayudan a combatir la placa dental y el sarro. Es seguro para los perros que son mordedores agresivos y es resistente y duradero. Los huesos para los dientes Plaque Attacker™ proporcionan horas y horas de diversión y además es saludable para los dientes.

Puede adiestrar a su Bull Terrier para que haga casi cualquier cosa. Este jovencito parece preparado para un entretenido juego de que le tiren un objeto para irlo a coger.

qué método de adiestramiento prefiere usted.

Muchos Bull Terrier han completado con éxito sus títulos de obediencia, e incluso si no superan con éxito todas sus pruebas, tendrá usted un compañero que cuidará sus maneras y con el que será más fácil vivir.

AGILITY

El Agility es un deporte relativa-

El Bull Terrier es un perro lleno de energía e inteligente que estará muy feliz cuando esté activo.

El Agility es solamente una de las muchas actividades en las que el Bull Terrier puede demostrar sus habilidades atléticas y competitivas.

mente nuevo que llegó a los Estados Unidos desde Inglaterra. El presentador y el perro, trabajando en equipo, cubren una carrera de obstáculos en la que mide el tiempo que tardan en completarla. La puntuación es fácil y el objetivo se basa en que el perro supere los obstáculos, además de tenerse en cuenta la velocidad con la que los supera.

Para competir en este deporte, su perro debe estar inscrito en un club privado de obediencia donde haya gente que enseñan a superar los distintos obstáculos. La pista requiere suficiente espacio para el desarrollo del circuito porque hay muchos obstáculos.

Muchas exposiciones caninas celebran la prueba de Agility como una exhibición. Es fácil encontrar el ring, ya que los espectadores se agolpan alrededor de esa zona. Se desprende un gran entusiasmo de todos los rincones: aplausos de los espectadores, ladridos de los perros y ánimos por parte de los presentadores. Se trata de un deporte divertido, pero no muy apto para los que padecen del corazón.

Sólo hay un material adecuado como hilo dental para las personas, y se trata del nylon. Así que, ¿por qué no hacerse con un juguete para morder que le permita interaccionar con su Bull Terrier mientras promueve su salud dental? A medida que juegue usted al tira y afloja con el Hilo Dental de Nylabone®, estará usted haciendo pasar lentamente las fibras de nylon entre los dientes de su perro.

PERRO DE COMPAÑÍA

Si quiere hacerse voluntario, es una maravillosa experiencia llevar su Bull Terrier a un asilo u hospital una vez por semana durante algunas horas. A la gente anciana le encanta que vaya un perro a visitarles, y su perro proporcionará algo de compañía a alguien que se encuentra solo o que se halla un tanto alejado del mundo. No sólo llevará usted alegría a otra persona, sino que mantendrá a su perro ocupado, y eso que no hemos hablado de que se ha descubierto que ser voluntario en estas tareas ayuda a incrementar la longevidad de *usted.*